Ga' i Hanes Draig?

Jackie Morris

Addasiad Mererid Hopwood

GRAFFEG

Mae fy nraig i wedi dod o'r haul a'r sêr.
Mae'n ddisglair fel llwch arian,
a phob nos mae'n dilyn
llwybr y lleuad i orwel pell y dydd.

Mae fy nraig i'n bwyta **blodau** melys, peraroglus, a phan mae hi'n chwerthin **mae petalau'n** marchogaeth ar ei hanadl.

Mae fy nraig i'n igam-ogamog ei dannedd,
ac yn wyllt ac yn ddewr.

Mae fy nraig i mor fawr â phentref,
a'i hadenydd yn wyrddlaw,
a'i llygaid yn felyngoch,
a'i chynffon mor hir ag afon.

Mae fy nreigiau i'n rhai bach, bychain
a'u hadenydd mor denau â chyffrinachau'r enfys.

Mae fy nraig i'n ddraig yr awyr las;
gyda'n gilydd hedfanwn i gyfeiliant y gwynt.

Mae fy nraig i'n dod o'r môr:
Drwy'r dydd mae'n chwarae
gan chwilio am lamhidyddion
yn y tonnau hallt.

Daw fy nraig i o fflamau'r tân.
Mae gwres yn ei chalon sy'n
gynnes i gyd.

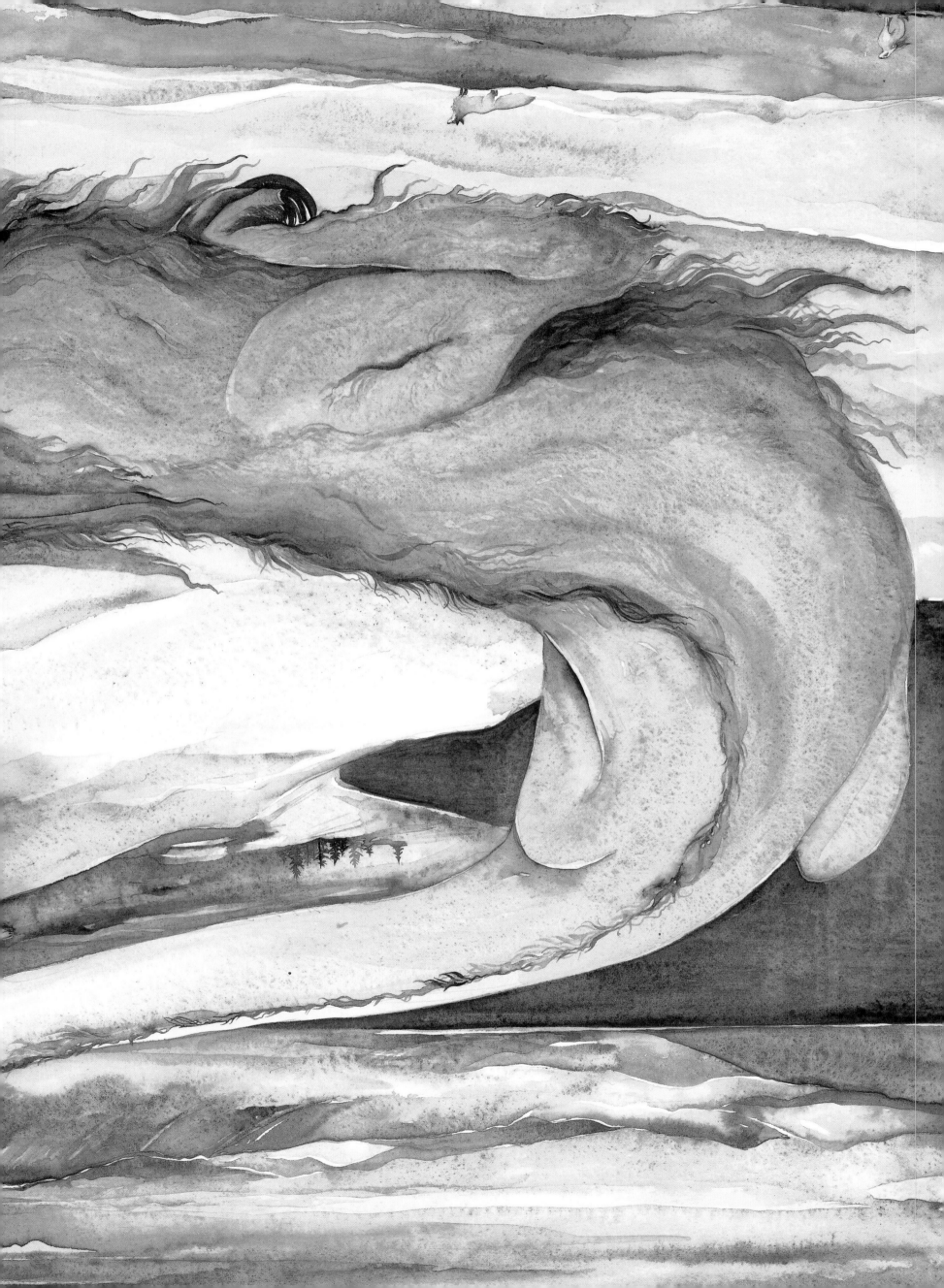

Ðaw fy nraig i o'r oerfel mawr,
a'i hanadl fel plu eira.

Yn gylch am fy nghlust
mae fy nraig i'n canu'n dawel
am chwedlau rhyfeddol
amser maith,
maith yn ôl.

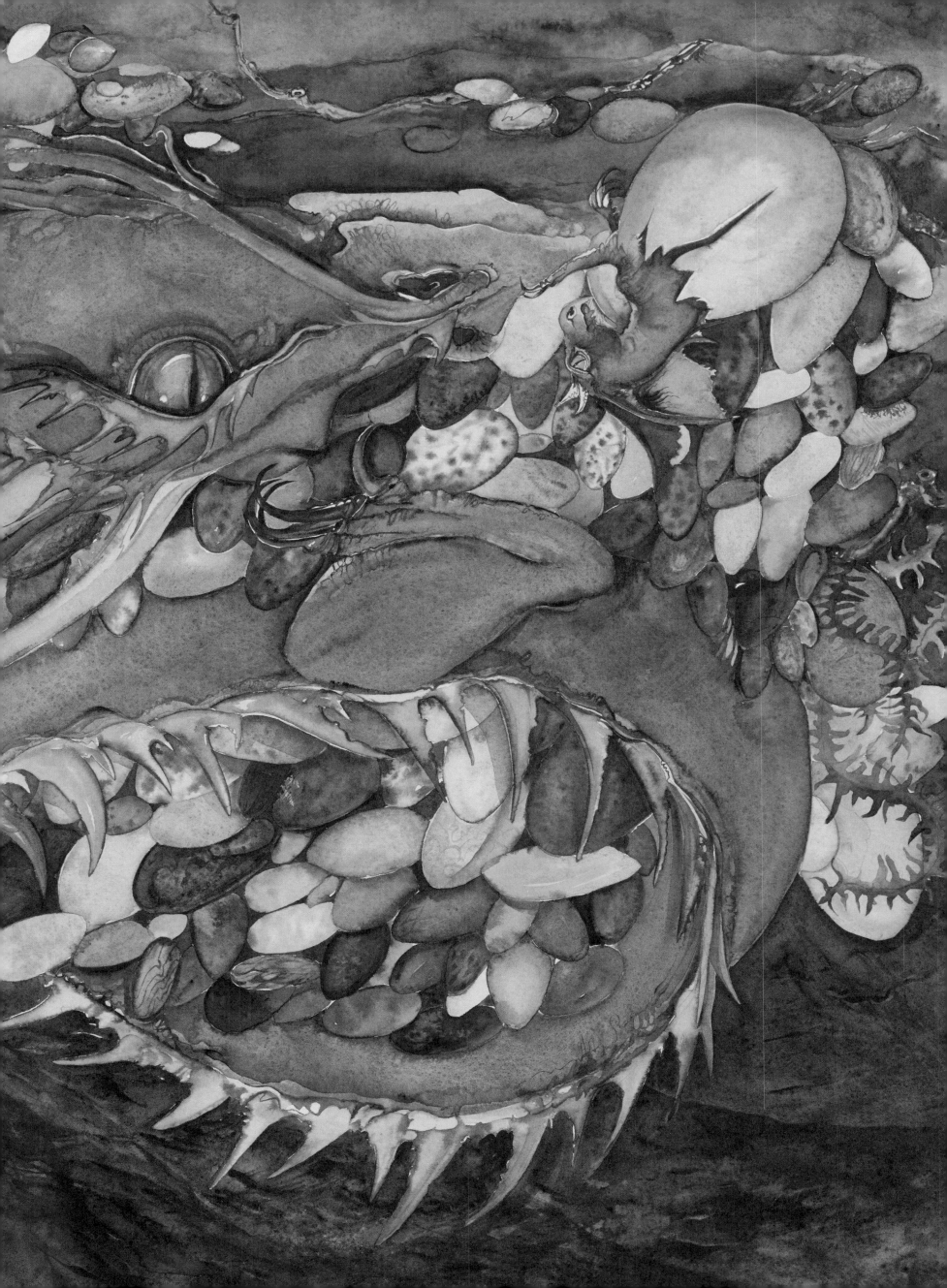

Mae fy nraig i'n gwarchod nyth o *wyau draig*
i'w cadw'n ddiogel nes dydd eu deor.

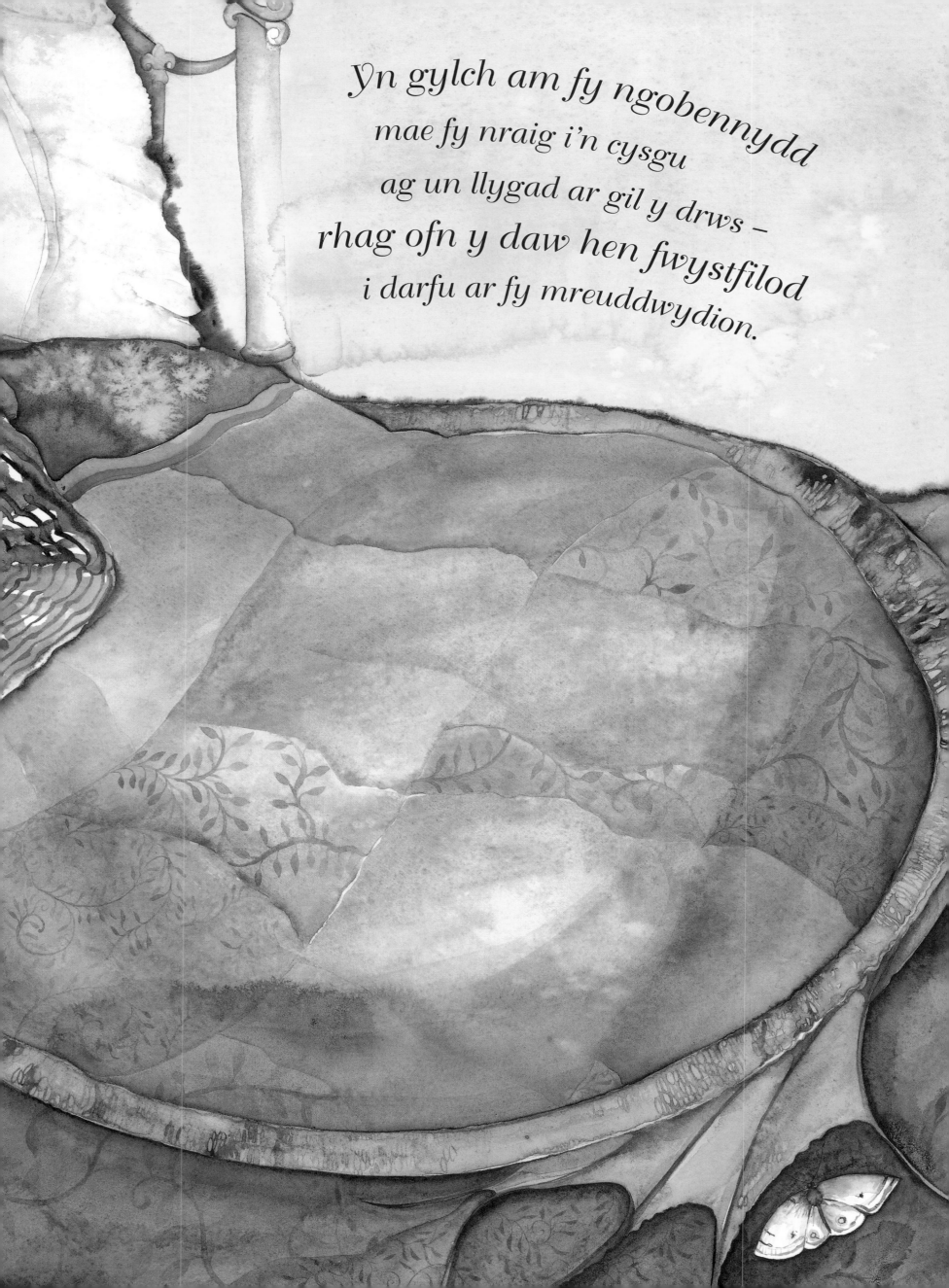

Yn gylch am fy ngobennydd
mae fy nraig i'n cysgu
ag un llygad ar gil y drws –
rhag ofn y daw hen fwystfilod
i darfu ar fy mreuddwydion.

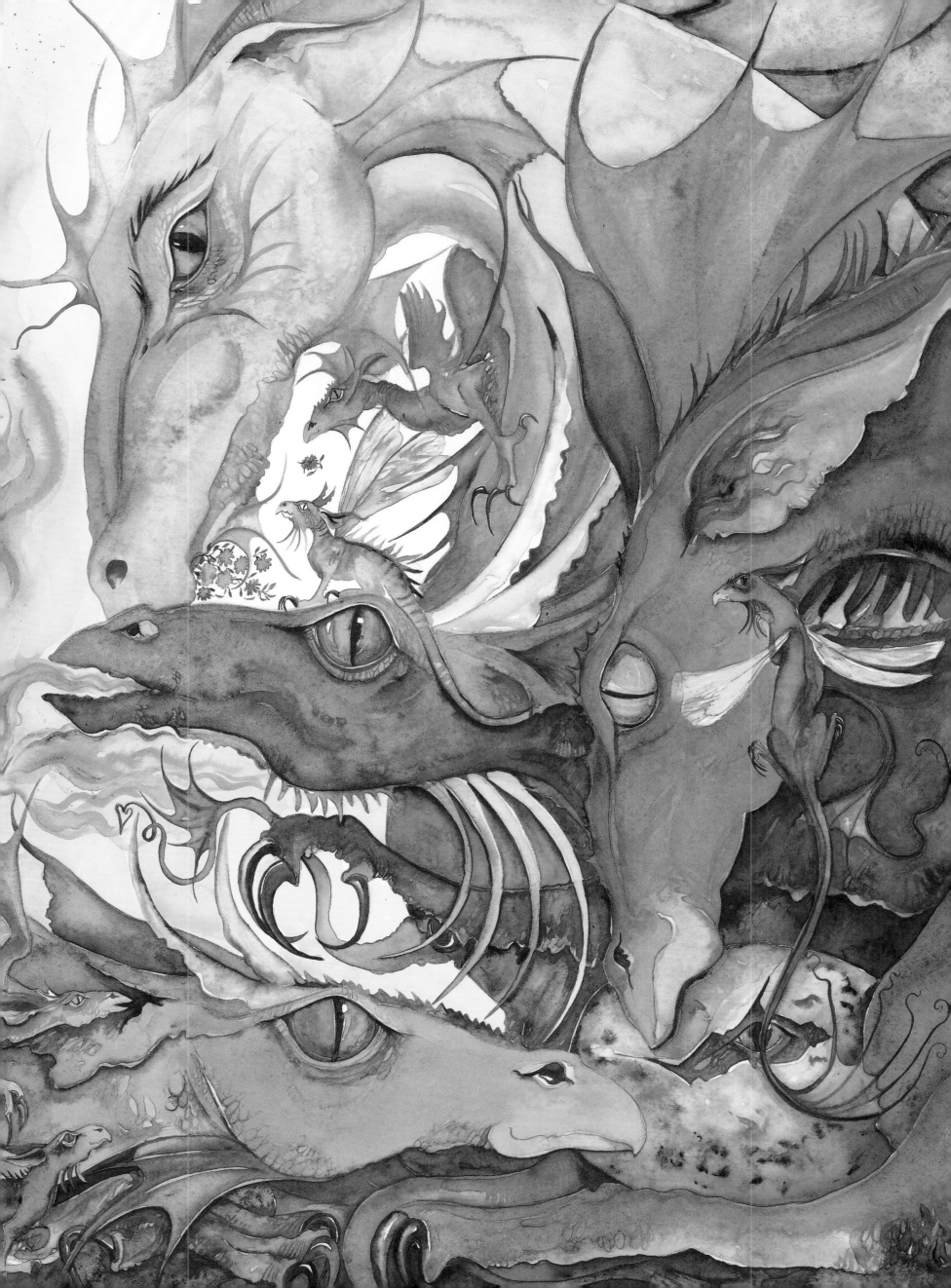

Nodiadau maes ac arsylwadau ar fywyd a chynefin dreigiau.

Dros y byd i gyd, o'r diwylliant cynhanes hyd heddiw, mae pobl wedi adrodd storïau am ddreigiau. Mae bron cymaint o ddreigiau yn y byd ag sydd o bobl i'w dychmygu. Ond mae rhai dreigiau'n fwy cyffredin na'i gilydd.

Yn Tsieina, mae pedwar draig-frenin, pob un yn teyrnasu dros ei dymor ei hun: yr hydref, y gaeaf, y gwanwyn a'r haf. Mae'r pedwar draig-frenin yn rheoli'r tywydd. Os byddan nhw mewn hwyliau drwg, gallant greu stormydd gwyllt. Mae pob un o'r dreigiau hyn yn ddreigiau dŵr.

Yn Siapan, mae'r ddraig yn symbol o bŵer a hud a lledrith. Yr hud a lledrith sy'n eu galluogi i hedfan, oherwydd does gan ddreigiau Siapan ddim adenydd. Slawer dydd, byddai clogyn Ymerawdwr Siapan yn cael ei addurno â draig gyda dau gorn a phum crafanc.

Wyau a dyddiau cynnar y cyw-ddreigiau

Mae ambell ddraig yn dodwy wyau. Gall wy draig fod yn fychan fach, digon bach i'w ddal mewn llaw plentyn. Gall rhai fod mor fawr â mynyddoedd. Bydd rhai wyau'n deor mewn ambell ddiwrnod, eraill ymhen wythnosau, a gall rhai gymryd canrif a mwy.

Mae angen gwres ar lawer o wyau er mwyn deor. Mae ar rai angen tân. Mae wyau'r ddraig iâ yn cael eu dodwy o dan yr iâ mewn afonydd a nentydd. Fydd y rhain ddim yn deor nes bo'r tymheredd yn ddigon oer i rewi dŵr hallt.

Mae llawer o ddreigiau'n dewis dodwy eu hwyau dan ofal draig warcheidiol er mwyn sicrhau eu bod nhw'n hollol ddiogel. Bydd rhai dreigiau'n gwneud nyth mewn man cuddiedig, cyfrinachol, ymhell o olwg y byd. Mae dreigiau'r gwcw'n dodwy eu hwyau yn nythod adar bach.

Gair ynghylch dreigiau, eu croen, eu cen a'u plu.

Mae gan y rhan fwyaf o ddreigiau gen. Fel ymlusgiaid maen nhw'n diosg eu crwyn er mwyn tyfu. Os doi di o hyd i groen draig, gelli di ei ddefnyddio i greu arfwisg. Mae'n ysgafn i'w wisgo ond mor gryf nes atal pob cleddyf a saeth yn y byd i gyd. Ond mae dod o hyd i groen draig yn beth anodd iawn.

Mae dreigiau'n greaduriaid balch. Os ydyn nhw braidd yn swil maen nhw hefyd yn treulio oriau'n sgleinio a gloywi eu cen a'u plu nes eu bod yn disgleirio.

Os bydd draig yn rhoi darn o gen yn rhodd i ti, bydd hi bob amser yn dod ar dy alwad pe byddet ti'n digwydd cael dy hun mewn perygl mawr. Cadwa fe'n ddiogel. Paid byth â'i roi i neb. A phaid byth â'i ddangos i neb chwaith.

Mae gan ambell ddraig, fel y ddraig dân, blu ond dim cen. Gelli ddefnyddio pluen y ddraig dân i ysgrifennu barddoniaeth. Ond chei di fyth defnyddio pluen draig os byddi wedi ei dwyn; rhaid i ti ei derbyn fel anrheg. Fel arall, chei di ddim ei defnyddio o gwbl.

Gair ynghylch swynion

Dim ond dewin y tywydd all hedfan ar ddraig awyr. Er mwyn gwneud hynny, rhaid i'r dewin yn gyntaf ddal y gwynt mewn tri chwlwm ar raff, ac ymhob cwlwm bydd swyn. Yna, rhaid i'r dewin daflu'r swyn o gylch gwddf y ddraig.

Gair ynghylch pobl a dreigiau

Mae ambell ddraig yn dod yn ffrindiau â phobl, ond gall neb fyth fod yn 'berchen' ar ddraig. Neb. All neb na dim fyth bod yn 'berchen' ar ddraig. Mae ambell ddraig, fel y ddraig dân, yn gallu dod yn ffrindiau agos â theulu cyfan a bydd yn aros gyda'r teulu hwnnw am genedlaethau dros gannoedd, efallai miloedd o flynyddoedd.

Mae dreigiau-sy'n-bwyta-blodau fel arfer yn hoffi trigo gyda thywysoges, oherwydd er eu bod yn bwyta blodau ar y cyfan, eu hoff fwyd yw marchogion hardd.

Gall y rhan fwyaf o ddreigiau siarad ieithoedd pobl. Dim ond rhai o'r bobl hyn, yn ddynion a menywod, sy'n siarad iaith y dreigiau, ac enw'r bobl hyn yw Arglwyddi'r Ddraig. Dylid nodi hefyd ei bod hi'n hysbys bod dreigiau'n caru cerddoriaeth.

Enwau torfol ar gyfer dreigiau

Mae llawer o ddreigiau'n greaduriaid unig, ond mae'n well gan rai fyw mewn grwpiau. Gellir galw casgliad o ddreigiau'n:

Ffagl neu Goelcerth,
Ehediad
Nythaid neu Ogof
Adain o Ddreigiau
neu hefyd yn
Freuddwyd o Ddreigiau.